_____

_____

biau'r llyfr hwn

I Toby Hall
I.W.

I Beccy
A.R.

Argraffiad Cymraeg cyntaf: 2003

Cyhoeddwyd gyntaf ym Mhrydain yn 2002
gan Gullane Children's Books,
Winchester House, 259-269 Old Marylebone Road,
Llundain NW1 5XJ

Hawlfraint y testun © Ian Whybrow 2001
Hawlfraint y lluniau © Adrian Reynolds 2001
Teitl gwreiddiol: *Harry and the Dinosaurs Romp in the Swamp*
Hawlfraint y testun Cymraeg © Emily Huws 2003

ISBN 1 84323 215 4

Dymuna'r cyhoeddwyr gydnabod cymorth
Adran Olygyddol Cyngor Llyfrau Cymru.

Cyhoeddwyd gan Wasg Gomer, Llandysul, Ceredigion SA44 4QL.

Argraffwyd a rhwymwyd yn China.

Owain a'r Deinosoriaid

Owain
yn cael
Sbort yn y Gors

Ian Whybrow

Darluniau gan Adrian Reynolds

Addasiad Emily Huws

GOMER

Roedd Mam a Nain yn mynd ag Ela i weld ei hysgol newydd.
Dyna pam roedd yn rhaid i Owain a'r deinosoriaid fynd
i chwarae efo rhyw hogan o'r enw Nanw.

Galwodd Owain ar y deinosoriaid
ond roedden nhw'n cuddio.

"Fydd gan Nanw ddim clem am ddeinosoriaid, Owain," meddai Scelidosaurus.
"Paid â gadael iddi hi chwarae efo ni," meddai Apatosaurus.
"Rhag iddi hi blygu ein coesau ni," meddai Anchisaurus.
"Rhag iddi hi gnoi ein cynffonnau ni," meddai Triceratops.

"Dim ffiars o beryg," meddai Owain. "Ewch i'r bwced. Chaiff neb arall chwarae efo fy neinosoriaid *i*."

"Ble buost ti mor hir, malwen?" meddai Ela.
"Dim o dy fusnes di!" meddai Owain.
Diolch bod Nain yn eistedd rhwng y ddau.

Daeth Nanw a'i mam at y drws i gyfarfod ag Owain.
Cuddiodd Owain y deinosoriaid tu ôl i'w gefn.

"Wela i di!" galwodd Mam. "Hwyl fawr!"
Ga i ddim hwyl o gwbwl! meddyliodd Owain
a'r deinosoriaid.

Aeth Nanw i mewn ac eistedd ar y soffa gyda'i theganau.

Eisteddodd Owain ar ben arall y soffa yn gwarchod
y deinosoriaid heb ddweud yr un gair o'i ben.

Yna aeth Nanw i nôl
basged fawr.
Rhoddodd ei thractor
a'i thryc ynddi.

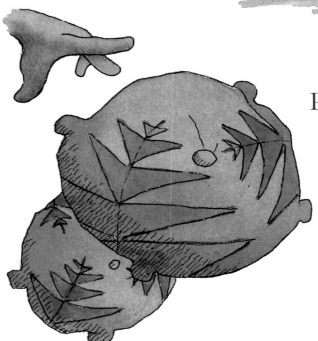

Rhoddodd glustogau
a bocsys ynddi.

Rhoddodd sosbenni
a phlanhigion a llinyn
i mewn hefyd.

Dilynodd Owain a'r
deinosoriaid hi i'r ardd.
    "Be mae hi'n ei wneud?"
sibrydodd Owain.

"Gwneud coedwig gynoesol!" meddai Anchisaurus."
"A chors gyntefig!" meddai Triceratops.
"Sôn am sbort!" meddai Stegosaurus.
Gwnaeth y bibell sŵn

SSsssssss

fel hen neidr fawr.

Dyma hwyl! meddyliodd Owain.
"Waa! Mae neidr yn mynd i'n
brathu ni!" gwaeddodd.
"O! Mae hi'n gwasgu
Tyrannosaurus! Rhaid
inni ei achub!"

Aeth hi'n gêm swnllyd ar y naw!
Dyma Anchisaurus yn crashio'r tractor.
A Scelidosaurus yn tolcio'r tryc.
Fe glymodd Apatosaurus a Triceratops
linyn yn dynn am y neidr a brathodd
Stegosaurus ei chynffon.

"Helpa fi gyda'r trap dal-neidr!"
gwaeddodd Nanw.
Clep! caeodd y trap ar y neidr.

Dawnsiodd pawb yn swnllyd iawn i ddathlu dal y neidr.

"Hwrê!" bloeddiodd Nanw. "Be wnawn ni rŵan?"
"Cael gwledd!" meddai Owain.

"Wyt ti eisio chwarae efo Nanw rywbryd eto?"
galwodd Mam.
"Siŵr iawn!" meddai Owain.
"Siŵr iawn!" meddai'r deinosoriaid.

DIWEDDOSAURUS

Rhagor o storïau gwych am
Owain a'r Deinosoriaid

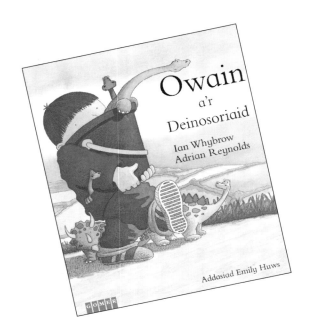

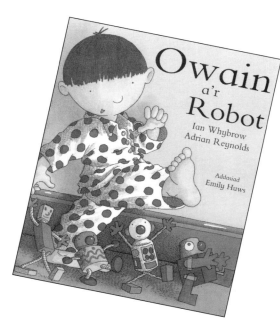

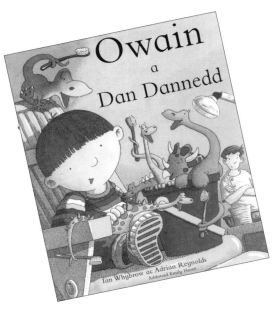